●この本の、「はたらき」のぶぶんをさんこうにしましょう。

ごみしゅうしゅう車のはたらき

ごみしゅうしゅう車のなかま

まちをまわって ごみをあつめる

小がたプレス車や、パッカー車ともいいます。まちの中を走って、かていから出たごみをあつめます。あつめたごみは、ちいきのせいそう工場などにはこびます。

スケルトンせいそう車

に台のいちぶが、とうめいになっていて、ごみをつみこむようすを見ることができます。

どんなはたらきをするじどう車なのかをかいせつしています。

はたらくじどう車の名前

ごみしゅうしゅう車

名前

いわさき たろう

はたらき

じゅうたくがいを回って、かていから出たごみをあつめます。

つくり

ごみをつむための、に台があります。なるべくたくさんの

絵

●ファイルにするはたらくじどう車の名前を書きましょう。

●自分の名前をかきましょう。

しらべてみよう！ はたらくじどう車②

くらしをささえる じどう車

はたらくじどう車編集部 編

この本の見かた

この本では、ごみしゅうしゅう車やたくはいトラックなどを、「はたらき」と「つくり」にわけてしょうかいします。そのじどう車は、どんなはたらきをするのか、そのためにどんなつくりをしているのかがわかります。

●4ページで大きくかいせつするじどう車が、4つあります。

はたらき

どんなふうにはたらくのかをしょうかいします。

つくり

とくちょうのあるぶぶんをとりあげて、しょうかいします。

●ほかにもいろいろなじどう車をしょうかいします。

はたらき

つくり

それぞれの、はたらきとつくりをとりあげます。

いろいろな　せいそう車

大きなごみを
かいしゅうする

そだいごみ しゅうしゅう車

はたらき
ごみしゅうしゅう車では、かいしゅうしない大きなごみをトラックのに台に入れます。

つくり
に台の上には、ふたがついています。ごみを入れるときは、ふたをひらきます。

▶に台をかたむけて、ごみをおろすことができる

水をつかって
よごれをおとす

こうあつ せんじょう車

はたらき
いきおいよくふき出る水で、はいすいかんやつまったよごれをおとします。

つくり
水の入ったタンク、ポンプ、ホースの先にとりつけるとくしゅなノズルがあります。

▶かべについたよごれをおとすようす

なんでもすいこんで
きれいにする

バキュームカー

はたらき
ポンプとホースで、かせつトイレなどのおぶつ(うんちやおしっこ)をすいこみます。

つくり
おぶつを入れるタンク、ポンプとホースがあります。においをおさえるそうちもあります。

▶タンクの下にある強力なポンプ

どうろを走りながら
道をきれいにする

ろめん せいそう車

はたらき
どうろにある、すなやごみをそうじきのようにすいこんで、どうろをきれいにします。

つくり
車の下にあるブラシで、すなやごみをあつめ、ホッパというタンクにすいこみます。

▶すなやごみがまいあがらないように、ブラシの近くから水を出す

14　15

わたしたちの みのまわりでは、
たくさんのじどう車がはたらいています。
それぞれのじどう車のはたらきによって、
わたしたちのせいかつは ささえられているのです。
この本では、まえから気になっていた
じどう車についてしらべたり
いままでしらなかったけど、
おもしろそうなじどう車をみつけたりできるでしょう。
はたらきとつくりをしらべるのに やくだててください。

はたらくじどう車編集部

もくじ

▲ごみしゅうしゅう車

▲たくはいトラック

▲キッチンカー

▲いどうとしょかん車

ごみしゅうしゅう車

くらしをささえるじどう車の

たくはいトラック

キッチンカー

はたらき と つくり

ここからは、ごみしゅうしゅう車、たくはいトラック、キッチンカー、いどうとしょかん車についての、はたらきとつくりをくわしくかいせつします。

いどうとしょかん車

ごみしゅうしゅう車のはたらき

まちをまわって ごみをあつめる

小がたプレス車や、パッカー車ともいいます。まちの中を走って、かていから出たごみをあつめます。あつめたごみは、ちいきのせいそう工場などにはこびます。

スケルトンせいそう車

に台のいちぶが、とうめいになっていて、ごみをつみこむようすを見ることができます。

ごみしゅうしゅう車のつくり

たくさんのごみをあつめてはこぶために ごみしゅうしゅう車はどんなつくりをしているのでしょうか？

まえ

しょうかハッチ

に台の中のごみから火が出たときに、しょうかするためのとびらがあります。

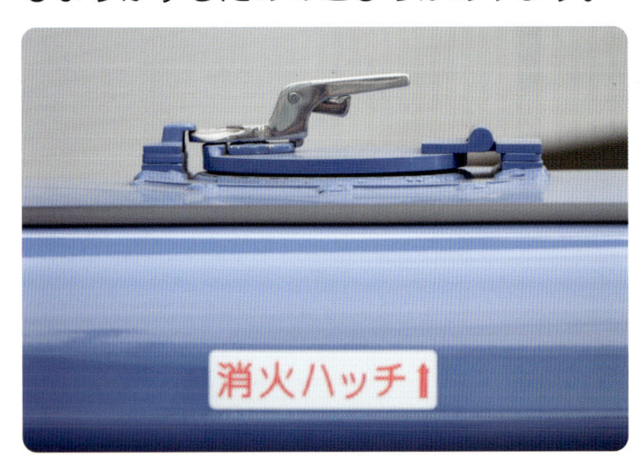

とびら

に台の中をかくにんしたり、そうじしたりするための、とびらがついています。

とうにゅう口

ごみを入れるところです。プレスプレートといういたがうごいて、ごみをおくへとおしこみます。

そうさボタン

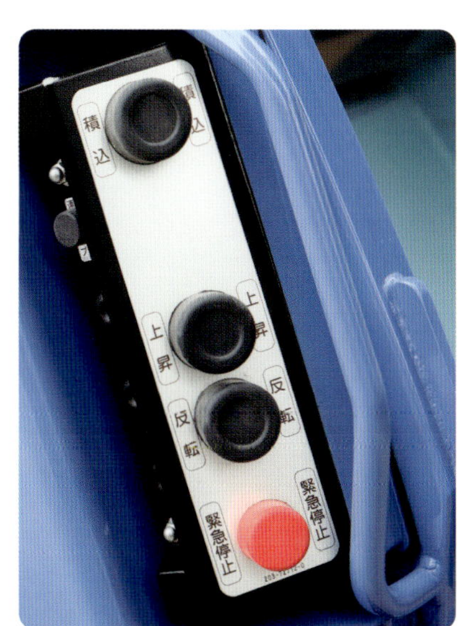

プレスプレートをうごかすためのボタンです。大きなボタンでおしやすくなっています。

きんきゅうていしスイッチ

とうにゅう口の下にあるバーをおすと、プレスプレートのうごきがとまります。

もっとしらべてみよう！

ごみしゅうしゅう車のしくみ

ごみをプレートでつぶしながらおくりこむ

とうにゅう口にごみがたまったら、プレスプレートといういたをうごかして、おしつぶしながら、に台の中へとおくりこみます。おしつぶしてごみを小さくすることで、なるべくたくさんのごみをはこぶのです。

スケルトンせいそう車で見ると

ごみがどんどんおくにおしこまれていく！

ごみしゅうしゅう車のとうにゅう口に入れられたごみは、どうなるのでしょうか。ごみしゅうしゅう車のしくみをみてみましょう。

ごみを出すときはテールゲートがひらく

あつめたごみを出すときは、テールゲートという後ろのぶぶんが大きくひらきます。そして、おくにあるはいしゅつばんといういたが、手前にむかってうごき、ごみをおし出します。

あつめたごみはせいそう工場にはこばれる

あつめたごみは、しゅるいによって行き先がかわります。かねんごみ(もやせるごみ)の場合は、せいそう工場にはこばれて、もやされます。ふねんごみ(もえないごみ)やそだいごみは、それぞれせんようのしせつにはこばれます。

練馬区のせいそう工場

大きなごみをかいしゅうする

そだいごみしゅうしゅう車

はたらき

ごみしゅうしゅう車では、かいしゅうしない大きなごみをトラックのに台に入れます。

つくり

に台の上には、ふたがついています。ごみを入れるときは、ふたをひらきます。

▶ に台をかたむけて、ごみをおろすことができる

なんでもすいこんできれいにする

バキュームカー

はたらき

ポンプとホースで、かせつトイレなどのおぶつ（うんちやおしっこ）をすいこみます。

つくり

おぶつを入れるタンク、ポンプとホースがあります。においをおさえるそうちもあります。

▶ タンクの下にある強力なポンプ

せいそう車

▶ かべについたよごれをおとすようす

水をつかって
よごれをおとす

こうあつ
せんじょう車

はたらき

いきおいよくふき出る水で、はいすいかんやつまったよごれをおとします。

つくり

水の入ったタンク、ポンプ、ホースの先にとりつけるとくしゅなノズルがあります。

▶ すなやごみがまいあがらないように、ブラシの近くから水を出す

どうろを走りながら
道をきれいにする

ろめん
せいそう車

はたらき

どうろにある、すなやごみをそうじきのようにすいこんで、どうろをきれいにします。

つくり

車の下にあるブラシで、すなやごみをあつめ、ホッパというタンクにすいこみます。

どうろそうじに ひつような水をまく

さんすい車

はたらき

どうろをせいそうするときに、ほこりや土がとばないように水をまきます。

◀水をまいているようす

つくり

たくさんの水をつめるタンクがあります。水は車の前後から出ます。

どうろのみぞのどしゃを すいこんできれいにする

そっこう せいそう車

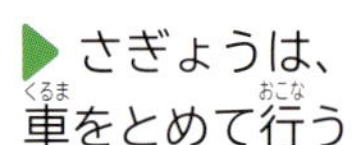

▶さぎょうは、車をとめて行う

はたらき

強力なポンプの力で、どうろわきのみぞにたまったどしゃをすいこんできれいにします。

つくり

車の後ろにあるタンクには、すいこんだどしゃがたまります。太いホースがあります。

▲せんこう車の後ろに、さんすい車、ろめんせいそう車、ダンプトラックがつづく

どうろせいそうのせんとうを走る

せんこう車

はたらき

ろめんせいそう車できれいにできないような、大きなごみをひろって、しゅうしゅうします。

つくり

4人のれるトラックです。に台にはどうろせいそうにひつようなものをのせています。

▲トンネルをせいそうするようす

トンネルのよごれをブラシをつかっておとす

トンネルせいそう車

はたらき

かいてんするブラシをトンネルのかべにおしあてて、走りながらきれいにします。

つくり

ブラシは上下、前後、左右にうごかすことができ、長さもちょうせつできます。

どうろにつもった雪を走りながらかきわける

じょせつトラック

はたらき

走りながらつもった雪をかきわけて、じどう車が走りやすいどうろにします。

つくり

雪をかきわけるプラウがせんとうについています。車の中間にブレードもあります。

▶せんたんがとがったプラウで雪を左右にかきわける

雪をとばしてどうろを広くする

ロータリーじょせつ車

はたらき

雪でせまくなったどうろを走り、雪をとばしながら道のはばを広げます。

つくり

せんとうのかいてんするそうちで雪をくずしながらあつめて、雪をとばします。

▶トラックの台に雪をとばすようす

じょせつ車

▶じょせつのようす

雪をどうろわきによせて
走りやすいどうろにする

じょせつグレーダ

はたらき

ブレードをつかってどうろの雪をよせたり、雪をけずって平らにしたりします。

つくり

車の下のブレードに力が入るように前のタイヤぶぶんがおもくなっています。

◀とうけつぼうしざいをまくようす

どうろがこおるのを
ふせぐために走る

とうけつぼうしざいさんぷ車

はたらき

しおやすなどの、とうけつぼうしざいをまいて、どうろがこおるのをふせぎます。

つくり

に台のホッパに入っている、とうけつぼうしざいを、車の後ろからまきます。

たくはいトラックのはたらき

たくさんのにもつを いろいろなばしょにとどける

たくさんのにもつをつんで、家やオフィス、お店などにとどけます。まちの中を走りながら、きめられたばしょに、時間どおりにとどくようにはいたつしています。

えいぎょうしょから しゅっぱつする

たくはいトラックは、ぜんこくにあるえいぎょうしょでにもつをつみこみ、はいたつばしょへしゅっぱつします。

たくはいトラックのつくり

にもつをはこんで、とどけるために
たくはいトラックは、どんなつくりになっているのでしょうか？

じゅうでん口

でんきじどう車なので、でんきをじゅうでんするための口が車の前にあります。

ウォークスルーこうぞう

はいたつばしょについたときに、車からおりなくてもに台にいどうできます。

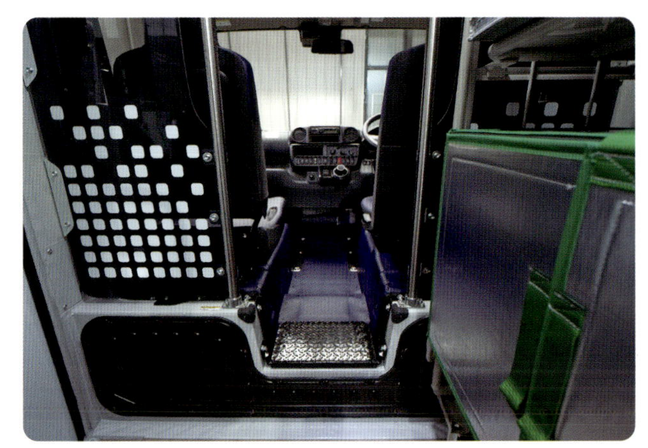

に台のたな

はいたつするにもつをわかりやすくせいりするために、たながあります。

うしろ

よこがわのとびら

うんてんせきとはんたいの歩道がわから、のりおりができるようになっています。

うしろがわのとびら

ゆかがひくくなっているので、にもつのつみ下ろしがしやすくなっています。

電気で走り にもつをとどける

けいじどう車（電気じどう車）

はたらき

じゅうたく地などで、小さなにもつをはいたつするときにつかわれます。

つくり

せまい道も走れる小さな車体です。にもつをおくばしょを、広くしています。

◀ ゆかが平たくなっていて、にもつをおきやすい

会社や店に にもつをはこぶ

中がたトラック（ハイブリッド車）

はたらき

大きなにもつから、小さなにもつまで、たくさんのにもつを、会社や店にはこびます。

つくり

はこがたのに台があります。に台のよこに、れいぞうこがついています。

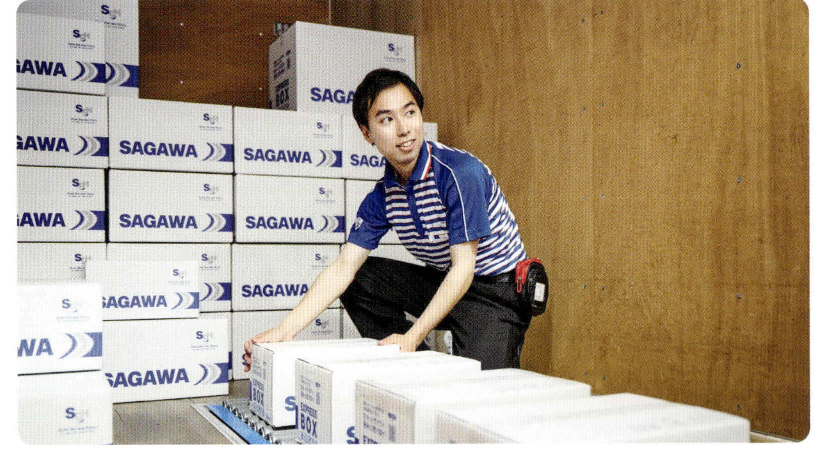

▲ に台の中で、さぎょうするようす

にもつをはこぶじどう車

◀ とりはずしたに台ぶぶん

長いきょりを走って
にもつをはこぶ

大がたトラック（スワップボディ車）

はたらき

夜の間に、たくさんのにもつをに台につんで、長いきょりを走ります。

つくり

大きなに台と、車体をわけることができます。とちゅうで、に台をこうかんできます。

◀ に台のおくがわにれいとうひん、手前がわにれいぞうひんをつむ

つめたいものを
つめたいままはこぶ

クール車

はたらき

れいとうひんやれいぞうひんを、つめたいままはこぶことができます。

つくり

に台の先たんにあるれいぞうこのようなそうちで、に台のなかをひやします。

キッチンカーのはたらき

いろいろなりょう理がどこでもつくれる

りょう理をつくったり、食べものをあたためたりできるキッチンがついている車です。イベント会場やおまつりなど、いろいろなばしょでりょう理を出すことができます。

できたてのりょう理が食べられる

おきゃくさんのちゅう文が入ってからつくるため、いつもできたてのりょう理が食べられます。

キッチンカーのつくり

りょう理をつくったり、出したりするためにどんなつくりになっているのでしょうか？

まえ

しゅうのうだな

うんてんせきのやねの上についています。食ざいやちょう理きぐなどを入れます。

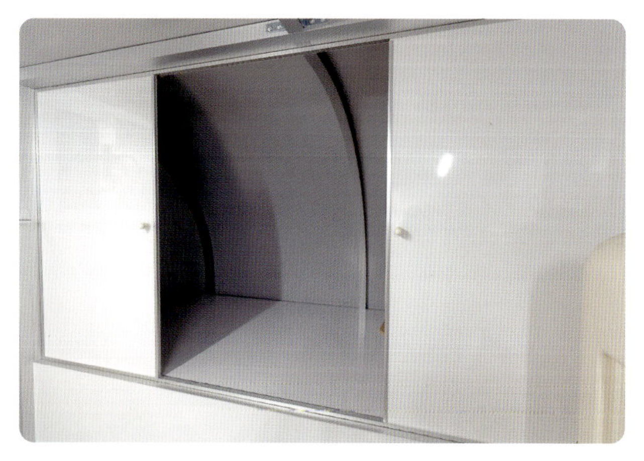

ていきょうまど

りょう理を出すところです。上下にひらいて、上は雨よけに、下は台になります。

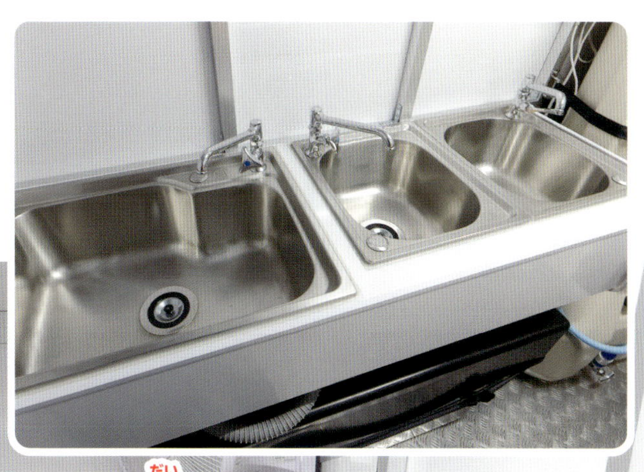

れいぞうこ

のみものなどをひやします。れいぞうこの上はちょう理台になります。

ながし台

手あらい用と、食きや食ざいをあらう用などに分けてつかえます。

水タンク

白いタンクにはきれいな水が入っています。つかった水はながし台の下の黒いタンクに入ります。

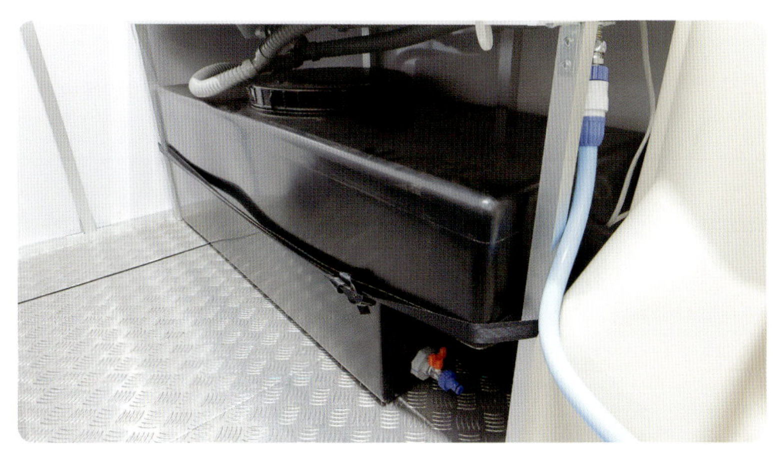

ちいきをまわって食ひんや日用ひんをうる

いどう はんばい車

はたらき

スーパーが近くにないちいきをまわって、さまざまなしょうひんをはんばいします。

つくり

に台にスーパーと同じしょうひんをつみこんでいます。れいぞうこもあります。

◀ 400しゅるいのしょうひんがある

ぎんこうと同じやくわりをする

いどう ぎんこう車

▶ トラックの中で、ぎんこういんに、オンラインでそうだんするようす

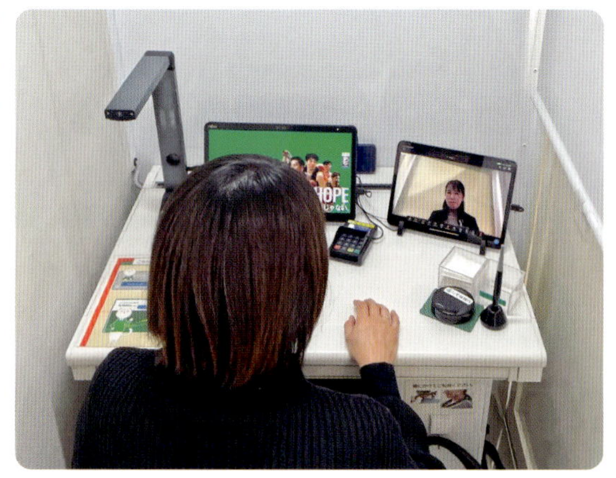

はたらき

ぎんこうから遠いちいきや、イベントのときなどに、ぎんこうのサービスを行います。

つくり

トラックの中にはお金を出したりあずけたりするATMや、そうだんまど口があります。

いどうえいぎょう車

イベント会場の メインぶたいになる

ステージカー

▶ ステージをつくったじょうたい

はたらき

どこでも、すぐにステージがつくれます。おまつりやイベントでかつやくします。

つくり

トラックのに台が大きくひらいてステージになります。しょうめいもあります。

いろいろなばしょで かみの毛を手入れできる

いどう びようしつ車

◀ 車内のようす

はたらき

しょうがいやこうれいなどで、びよういんに行けないひとに、かみの毛の手入れをします。

つくり

びよういんのように、かがみやいす、シャンプー台があります。ドライヤーもつかえます。

いどうとしょかん車のはたらき

本をのせて走り
本のかし出しをする

たくさんの本が入る本だながあり、本のかし出しとへんきゃくができる車です。おもに、としょかんからはなれたばしょを回って、多くのひとに本をとどけています。

ひとがあつまる ばしょを回る

1日の中で公みんかんやじどうかん、スーパーなど、ひとがあつまるばしょを回っています。

いどうとしょかん車のつくり

たくさんの本が入っているいどうとしょかん車の中は
どんなつくりになっているのでしょうか？

ライト

くらくなっても本がよく見えるように、ライトがついています。

スピーカー

いどうとしょかん車が来たことを知らせたり、音楽をながしたりできます。

しゅうのうスペース

へんきゃくした本やよやくの本、せっちにひつようなものを入れるしゅうのうスペースです。台には本のかし出しにつかうパソコンやバーコードリーダーをおきます。

うしろ

本だな

りょうがわにあり、やく500さつの本が入ります。日ざしが強いときは、日よけカバーをつけることがあります。

トラックの中で海の生きものを見学

いどうすいぞくかん車

はたらき

すいぞくかんが遠いひとや、行けないひとたちのために、さまざまなところに出かけます。

つくり

トラックの中にすいそうがあります。に台ぶぶんをひらくと、見学ばしょになります。

▲アクアマリンふくしまのいどうすいぞくかん車

▲に台のすいそう

ぼうえんきょうで星空をかんさつする

いどう天文車

はたらき

いろいろなところに行って、ぼうえんきょうで星を見る、天体かんそくができます。

つくり

トラックの中に、大きなぼうえんきょうがあり、中に入って見ることができます。

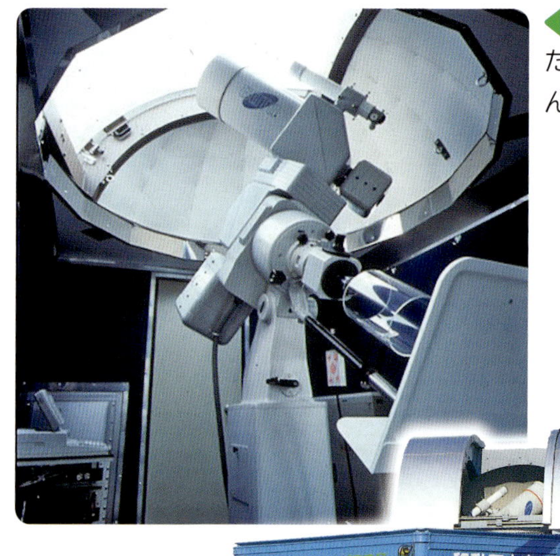

◀すわったじょうたいでも、天体かんそくができる

▲四日市市立博物館のいどう天文車「きらら号」

いどうしせつ車

▶車内のようす

どこでもいつでも しごとができる

オフィスカー

はたらき

いどうしながらパソコンをつかったしごとができます。きゅうけいにもつかえます。

つくり

つくえやいす、電げんなどオフィスではたらくためにひつようなものがそろっています。

▲テーブルやいすを出して、そうだんにたいおうする

交番と同じ かつどうをする

いどう交番車

はたらき

ちいきのひとがあつまるばしょに行って、そうだんを聞いたり、パトロールをしたりします。

つくり

赤色とうや、目立つ色と文字でけいさつの車だとわかるようにしています。

しらべて なるほど！

くらしをささえるじどう車のふしぎ

ごみしゅうしゅう車やどうろをせいそうするじどう車などの、いろいろなぎもんについてかいせつします。くらしをささえるじどう車のひみつにせまります。

Q ごみしゅうしゅう車の色はきまってるの？

A ちいきによってちがう

とうきょうとでは、ごみしゅうしゅう車の色は白と青にきめられています。しかし、ほかのちいきのごみしゅうしゅう車は、青はもちろん、みどりやオレンジ、赤、ピンクなどさまざまです。

Q どうろのせいそう車はだれがうごかすの？

A 国やけん、市などのほかせんもんの会社がうごかす

どうろをかんりしている国やけん、市などが、せいそう車をもっていれば、自分たちで動かしたり、せんもんの会社にかしたりします。もっていない場合は、せんもんの会社にいらいします。

Q かいてんとうの色がちがうのはなぜ？

A 車のしゅるいによって色がちがう

かいてんとうには赤、黄、みどりなどがあり、とりつける車によって色がきめられています。赤はきんきゅう車りょう、黄はどうろさぎょう車、みどりはうんぱん車りょうにつけられています。

Q じょせつ車のスピードはどれくらい？

A こうそくどうろでもじそく50キロまで

雪がつもったり、こおったりしたどうろはすべりやすく、きけんです。あんぜんのために、じょせつ車はゆっくり走りながらさぎょうをします。こうそくどうろでも、じそく50キロまでで走ります。

Q はたらくじどう車はどうやってつくるの？

A トラックなどをもとにつくる

トラックはうんてんせきと、に台が分かれるこうぞうです。はたらくじどう車は、エンジンなどはトラックのままですが、おもにに台が、せんもんの会社によってつくりかえられています。

VRぼうさいたいけん車

まだまだある!

こううたいけん車

しぜんさいがいたいけん車

きしん車

くらしをささえるじどう車

けんこうをささえるじどう車やぼうさいのためのじどう車、
どうろせいそうのじどう車などをしょうかいします。

ろめんせいじょうそくてい車

キャビテーションせいそう車

車の中で けんけつができる

いどう さいけつ車

はたらき

市やくしょやショッピングモールなど、いろいろなばしょで、けんけつができる車です。

つくり

けんけつのためのベッドがあります。車のゆれを少なくするそうちもあります。

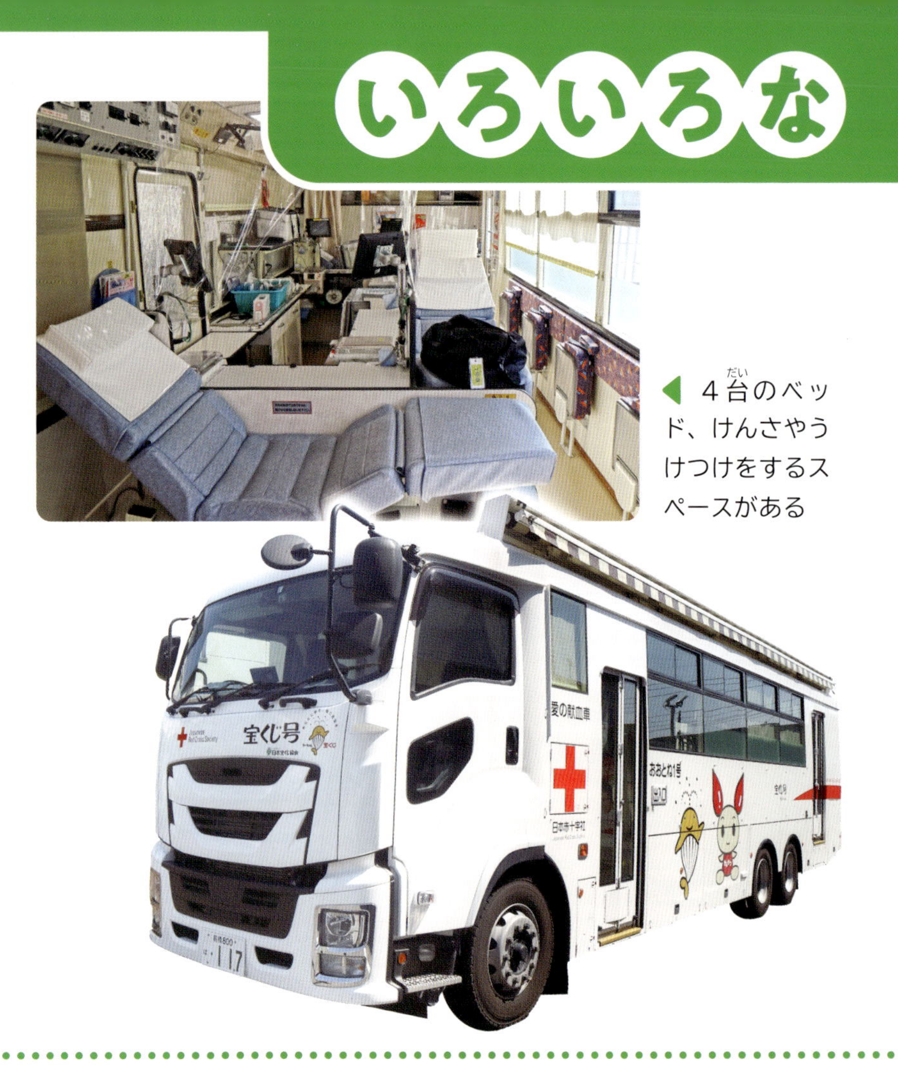

◀ 4台のベッド、けんさやうけつけをするスペースがある

レントゲンけんさを 車内でできる

けんしん車

はたらき

びょういんに行かずに、車の中で、おなかや、むねのレントゲンけんさができます。

つくり

車内にレントゲンけんさのきかいがあります。まちあいスペースもあります。

▶ 車内のようす

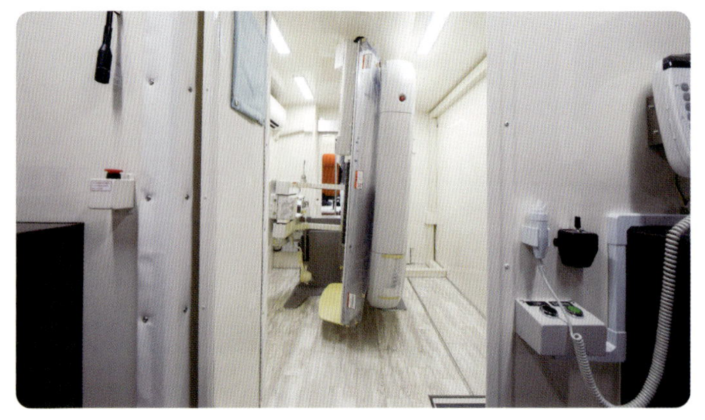

くらしをささえるじどう車

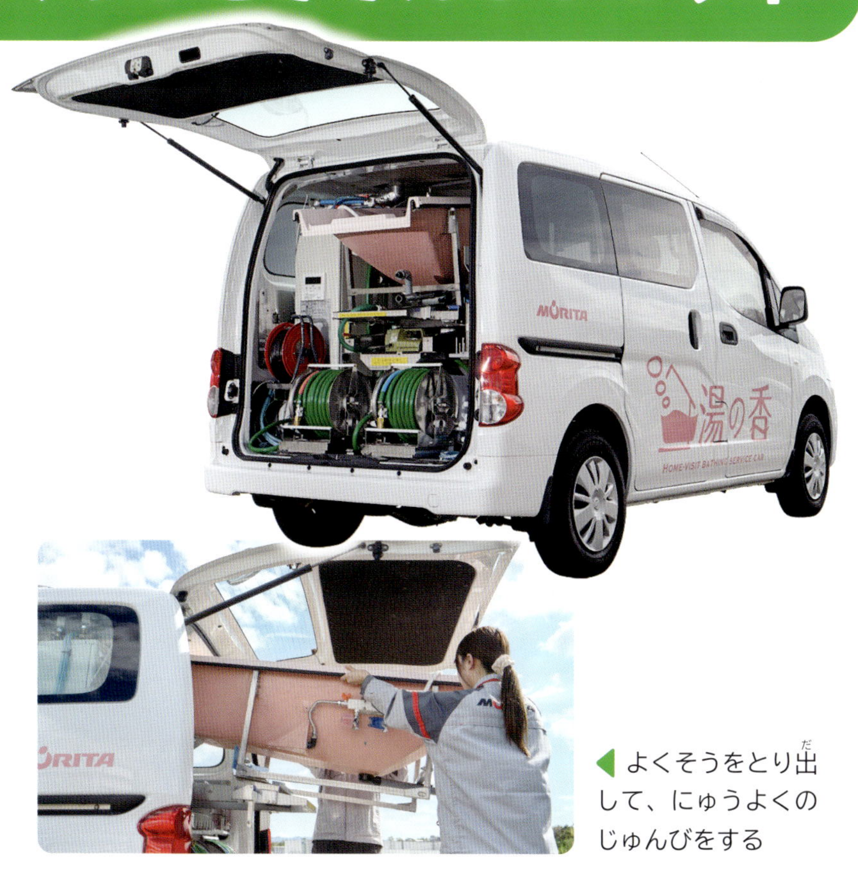

◀よくそうをとり出して、にゅうよくのじゅんびをする

にゅうよくをてつだう

にゅうよく車

はたらき

1人でにゅうよくができない、こうれいしゃや、しょうがいしゃのてつだいをします。

つくり

おゆをわかすボイラーがあり、よくそうやホースなどが入っています。

◀けいびいんがお金をまもる

ぎんこうやお店のお金をはこぶ

げんきんゆそう車

はたらき

コンビニのATMにお金をほじゅうしたり、お店のうりあげ金をはこんだりします。

つくり

後ろのざせきは金こになっています。ドアは、かんたんにはあけられません。

えいぞうを見ながら さいがいをたいけん

VRぼうさいたいけん車

はたらき

本ものそっくりのさいがいのVRえいぞうを見ながら、ぼうさいたいけんができます。

つくり

大がたディスプレイと、VRえいぞうを見るためのせきが8つあります。

▲えいぞうに合わせてせきがうごいたり、水しぶきやにおいが出たりする

しょうかくんれんの ほうすいをたいけん

まちかどぼうさいくんれん車

はたらき

しょう火せんのない小さい公園やまち中で、しょうかくんれんをするときにかつやくします。

つくり

小がた車なのでせまい道にも入ることができます。ほうすいにつかう水をつんでいます。

▲トラックの中の火じの絵にむかってほうすいする

しぜんさいがいを たいけんできる

しぜんさいがい たいけん車

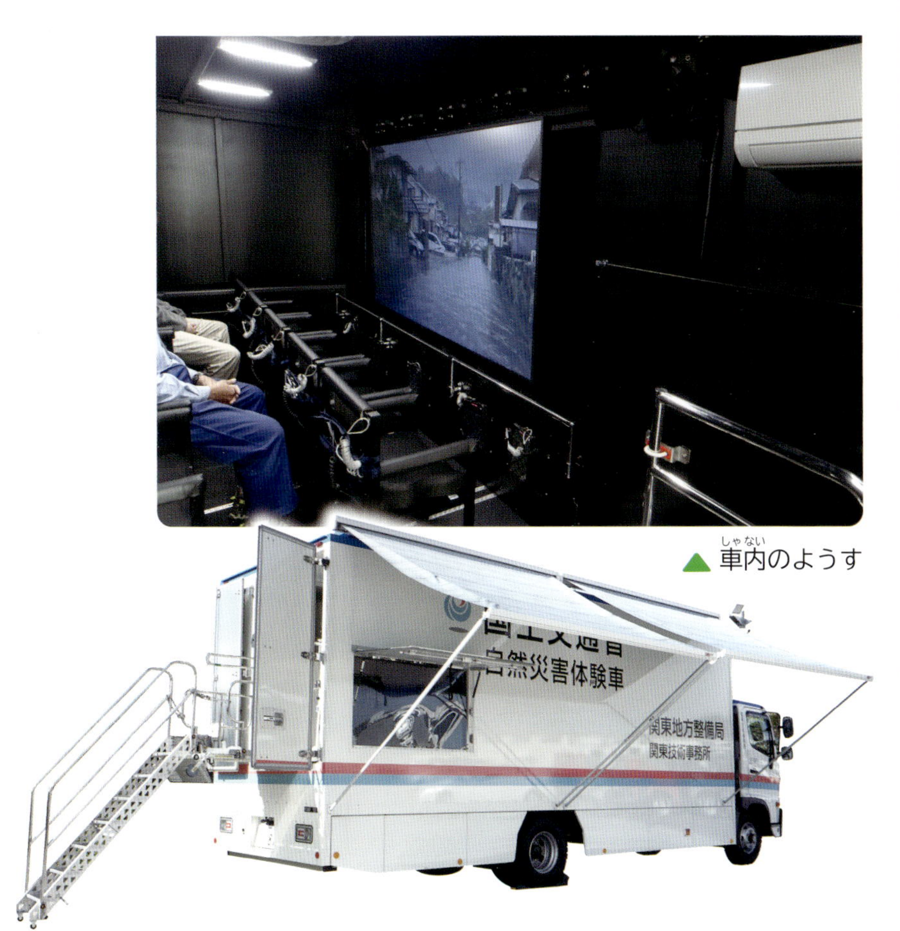

▲車内のようす

はたらき

大きなじしんや、どしゃさいがいなどの、しぜんさいがいを、えいぞうでたいけんできます。

つくり

えいぞうにあわせて、風や光、ゆれで、はく力あるさいがいをさいげんします。

台風や大雨が たいけんできる

こうう たいけん車

◀大がたディスプレイで、水がいのようすを見る

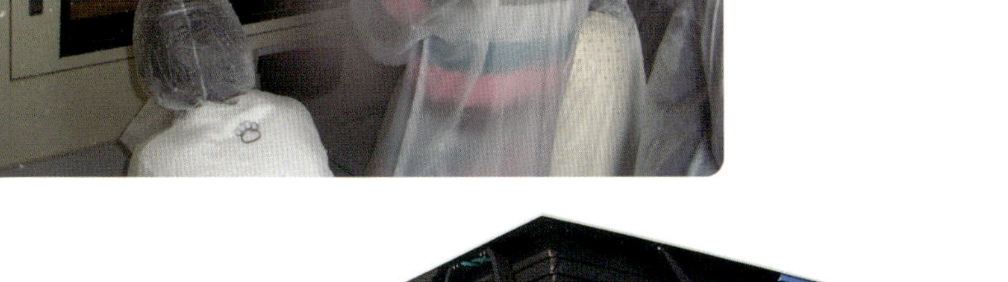

はたらき

強い雨や風をたいけんしながら、台風のひがいを、えいぞうで学ぶことができます。

つくり

雨や風をたいけんするへやがあり、音も本物のようにさいげんするそうちがあります。

じしんのゆれを たいけんできる

きしん車

はたらき

じしんと同じゆれをつくることができます。ぼうさいくんれんなどでかつやくします。

つくり

つくえやいすなどがおかれた体けん室があり、ゆれをつくるそうちがあります。

▶ たいけん室は前後、左右、上下にゆれる

トンネルのしょうめいを 走りながらきれいにする

キャビテーションせいそう車

▶ トンネルの中のしょうめいをあらうようす

はたらき

いきおいよくふき出す水で、トンネルの中のしょうめいをそうじします。

つくり

水が出るせいそう用ノズルと、水タンクやポンプなどのそうちがあります。

トンネルそうじで よごれた水をきれいにする

トンネルせんじょう すいしょり車

はたらき

そうじでよごれた水をとりこんで、何日もかけて車の中できれいにします。

つくり

よごれた水をためるタンクや、きれいにするためのろかそうちがあります。

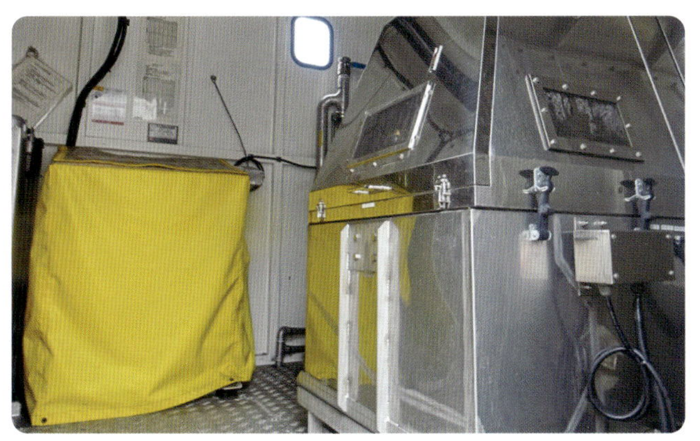

◀よごれをかためて、ふくろに入れてすてる

◀光をどうろに当ててしらべる

走りながらどうろの じょうたいをしらべる

ろめんせいじょう そくてい車

はたらき

どうろにひびが入っていないか、でこぼこになっていないか、走りながらしらべます。

つくり

どうろをチェックするための、とくべつなカメラやセンサーがあります。

取材協力

練馬区環境部（ごみしゅうしゅう車、そだいごみしゅうしゅう車）、加藤製作所（ろめんせいそう車）
フードトラックカンパニー（キッチンカー）、久喜市立図書館（いどうとしょかん車）

画像協力

ヤマト運輸（表紙、P5右上、P6下、P20～P23）、モリタ（P14下段、P15上段、P43上段）、日本ロード・メンテナンス（P16、P17）、札幌市建設局（P18上段、P19上段）、NICHIJO（P18下段、P19下段）、佐川急便（P24、P25）、移動スーパーとくし丸（P30上段）、りそな銀行（P30下段）、坪井特殊車体（P31上段）、ティーダ美容室（P31下段）、環境水族館アクアマリンふくしま（P36上段）、五藤光学研究所（P36下段）、大和リース（P37上段）、千葉県警察（P37下段）、日本赤十字社（P42上段）、フィオーレ健診クリニック（P42下段）、イズミ車体製作所（P42下段）、ALSOK（P43下段）、東京消防庁（P44）、国土交通省関東地方整備局関東技術事務所（P45）、飛鳥特装（P39下段、P46上段）、中日本高速道路（P46下段、P47）、渡部まなぶ／アフロ（P37下段上）、アフロ（P37下段下）、ピクスタ（P13かこみ、P38イラスト、P38下段、P39上中段、後見返しイラスト）

●構成・文　美和企画（大塚健太郎、嘉屋剛史）
●デザイン　ダイアートプランニング（松林環美）
●撮影　糸井康友、設楽政浩、米屋こうじ

しらべてみよう！ はたらくじどう車❷

くらしをささえるじどう車

2025年1月31日 第1刷発行

発行者　小松崎敬子
発行所　株式会社岩崎書店
〒112-0014　東京都文京区関口2-3-3 7F
電話03-6626-5080（営業）　03-6626-5082（編集）

編集　はたらくじどう車編集部
印刷所　株式会社精興社
製本所　大村製本株式会社

ISBN　978-4-265-09208-6
NDC537　29×22cm　48P

Published by IWASAKI Publishing Co., Ltd. Printed in Japan
岩崎書店ホームページ　https://www.iwasakishoten.co.jp/
ご意見ご感想をお寄せください。info@iwasakishoten.co.jp
乱丁本、落丁本は小社負担にておとりかえいたします。

しらべてみよう！はたらくじどう車

はたらくじどう車編集部 編

さくいん

はたらくじどう車の「つくり」を中心にしたさくいんです。じどう車の名前は、「もくじ」でさがしてください。

右(みぎ)のページをコピーして
つかいましょう。